네가 오면 언제나 나의 계절은 봄이 온다

네가 오면 언제나 나의 계절은 봄이 된다

태로리 시집

프롤로그

살아가다 보면

주위에는 유난히 더 마음이 가고
유난히 더 정이 가는 사람이 있습니다.

아마 예전의 나를
지금의 나를 보는 것 같아서 그럴지도 모릅니다.

이 시집에 수록된 시는
유난히 마음이 더 가고 유난히 더 정이 갔던
시를 모아둔 시집입니다.

2024년 태로리 올림

소중한 그대를 응원합니다.

1부

프롤로그

2부

3부

1부

비는 내린다 근데 무지개도 뜨는 걸 우리에게

비는 내린다.

근데 무지개도 뜨는 걸

우리에게

약속

약속처럼 그대가 곁에 있어준다.

약속을 하지 않았는데도

언제나

너와 나를 잃어버리지 말자

시간이 흘러 누군가를 잃어가고
그렇지만 누군가를 얻게 되고

나이가 들면서 다 떠나가고
모두가 돌아선다 해도

소중한 나를 잃어버리지 말자.
둘도 없이 소중한
내 옆에 있는 너를 잃어버리지 말자.

너와 나는 잊히거나
잃어가는 사람이 아니니까.

잘 살고 있다는 것

잘 살고 있다는 것은

나의 색깔을 잃어버리지 않고
나답게 살아가고 있는 것.

소중한 사람들과 함께
지금을 살아갈 수 있는 것

놓아줄 때를 알고

지킬 때를 알고

기다릴 때를 알고

소중한 일상

늘 보던 풍경이지만 계절에 의해 바뀌고

지나가는 사람들에 의해 바뀌고

날씨에 의해 바뀌고

지금 내가 어떤 사람들과

함께 하고 있는지에 따라 바뀌고

반복되는 일상에 매일 보는 일상이라고

생각이 들 때도 있었지만

모든 일상은 늘 다른 일상이었고

어떻게 바라보는지에 따라 다르게 보였고

나의 마음에 의해 바뀌고 있었다.

우리가 지금 바라보고 있는 일상의 배경은 같은 일상이 아니다.

세상은 매일 새로운 풍경이 펼쳐지고 있다.

지금까지 잘 이겨낸 그대

당연히 앞으로도 이겨낼 수 있다.

살아갈 수 있는 힘

살아갈 수 있는 힘이 생길 수 있는 것은
보고 싶은 사람들이 있어서
함께하고 싶은 사람들이 있어서
그리운 사람들이 있어서

가고 싶은 길

한 번도 가보지 않은 길

조금은 두렵기도 하지만

너와 함께라면

웃을 수 있는 길

계속 가고 싶은 길

봄이 오려면

2021년 유난히도 추운 겨울날이 지나고
날짜로는 이미 봄이 되었다.

어제 하루 동안의 따뜻한 날씨에
내일도 따뜻한 날씨일 줄 알아서
옷을 얇게 입었는데

따뜻해지는가 싶더니
차가운 바람이 불어와 날씨는 추웠고

다음날에는 어제의 일을 기억해서
따뜻한 옷을 입었는데
날이 풀려서 이번에는 땀이 났었다.

날씨를 확인하기도 했었지만
매번 예상과는 반대로 흘러갈 때가 더 많았다.

우리에게 따뜻한 봄은 언제 올까.

따뜻한 봄이 오려면

차갑기도 하고

뜨겁기도 한 시간들이

지나갈 수 있게 기다려야

정말 제대로 된 봄이 오겠지.

그 과정이 어려울 수 있지만

모두 지나가겠지.

따뜻한 봄이 오려면

완전한 봄이 오려면

아직도 남았지만

어김없이 자연스럽게

우리의 일상에 찾아올 거니까.

하루빨리

우리에게 그날이 올 수 있기를 바라본다.

좋은 날

분명 일기예보에 비가 온다고 했는데

밖을 나섰는데

비는 온데간데없고

조금씩 구름이 걷히고

맑은 햇살이 나를 비춰준다.

아마 좋은 날은 그렇게 오지 않을까.

나에게도.

고민

고민이 떠오르는 건 자연스러운 일이지만
그 고민에 혼자 생각하고
혼자 아파하지는 말아요.
그대 곁에는 고민을 함께 들어줄
함께 나눌 사랑하는 사람들이 있으니까.

언제든

챙겨주고 싶은가 보다
지켜주고 싶은가 보다

네가 잘하든
네가 못하든

함께 있고 싶은가 보다
함께 하고 싶은가 보다

네가 웃고 있을 때에도
네가 울고 있을 때에도

언제든

봄

내년에도 누군가를 데려오고 싶은 마음

내년에도 꽃과 함께 소중한 사람과
함께 하기를 하는 마음

결국에는

넘어짐 뒤에는
일어섬이 있고

아픔 뒤에는
기쁨이 있고

눈물 뒤에는
미소가 있고

비 온 뒤에는
맑음이 있다.

결국에는.

너만은 나를 기다려준다

지나간 시간은
나를 기다려주지 않는다.

근데 그때도
지금 이 순간도

언제나
너만은 나를 기다려준다.

함께 손잡고 있는 것

그대의 손을 잡으니 차갑다.
나의 손도 차가웠는데

차가움과 차가움이 마주쳐도
결국에는 따뜻해지더라.

나의 손이 따뜻할 때는
그대의 차가운 손을 녹여주고

그대의 손이 따뜻할 때는
나의 차가운 손을 녹여주고

나와 그대의 손이 둘 다 따뜻하다면
더 따뜻해지겠지

결국에는 차가운 것 따뜻한 것이
중요하지 않더라

함께 손잡고 있는 것 자체가
우리를 따뜻하게 해주는 것을

기억했으면 해요

기억했으면 해요.

힘든 순간은 결국 지나간다는 것을.

진심은 결국 전해진다는 것을.

다만 시간이 조금 걸릴 뿐이에요.

꽃

꽃잎이 떨어지는 순간에도
꽃은 누군가를 미소 짓게 했다.

그 꽃이 아픈 줄은
사람들은 잘 모르겠지만
나는 알고 있다.

나는 그 꽃을 응원한다.

봄꽃

사람들은 벚꽃을 보러 간다고 한다.

귀를 기울여보니 그래도 누군가는
개나리꽃, 튤립, 유채꽃을 보러 간다는 사람들도 있다.

저기 멀리서
이름도 잘 모르는 꽃을 보고 좋아하는 사람들도 있다.

많은 사람이 아니라도
몇몇 사람이라도
아니 단 한 사람이라도

누군가 좋아하고 바라봐 주는 사람이 있다.

널 붙잡아줄게

항상 숨 가쁘게
달려온 시간

조금은 지치지만
조금은 힘들지만

언제가
우리를 알아줄 날이 올 거야.

그때까지 넘어지지 말고
같이 달려나가자.

언제나
내가 옆에서 널 붙잡아줄게.

너의 마음을 지키고 싶었으니까

나도 엄청 지쳐있었지만
너의 마음을 지키려고
나의 마음을 잠시 내려놓았다.

너를 지킬 수 있는 마음이
지금밖에 없을 것 같아서

지금이 아니면
네가 계속 넘어질 것 같아서

내 마음보다는
너의 마음을 지키고 싶었으니까

봄의 순간

봄에는
행복의 봄도 있다.
이별의 봄도 있다.
아픔의 봄도 있다.
함께의 봄도 있다.

그래도 우리에게는
소중한 봄의 순간이 있었다.

그래도 우리에게는
여전히 소중한 봄의 순간이 남아있다.

사랑의 약속

약속을 하는 것은
그대와 함께하고 싶다는 의미이고

약속을 지키는 것은
그대를 생각하고 있다는 의미이다.

따뜻한 사람 소중한 순간

따뜻한 사람은 찾아온다.

내가 따뜻한 사람이 될 때.

소중한 순간은 찾아온다.

내가 지금을 소중히 여기면

함께 있을 때 마음이 편한 사람

함께 있을 때
마음이 편한 사람이 좋다.

함께 있을 때
즐거운 사람이 좋다.

그 시간이 가장 나다운 모습이니까

그 사람과 함께 있을 때
나의 본연의 모습이 나오는 건

아마도 나를
진심으로 대해주기 때문이지 않을까.

마음의 날씨

하늘을 올려다보니

먹구름이 있다.

그래도 괜찮다.

그 옆에 맑은 구름도

함께하고 있으니

웃을 수 있을까

어느새부턴가 웃음을 잃어버렸다.

가장 환하게 웃던 날은 언제였는지.

그런 나는 있기는 있었는지.

아마 너를 떠나보내고 나서부터였을까.

예전으로 돌아간다면

다시 너를 만난다면

웃을 수 있을까.

나는.

우리 모두 그렇게 살아간다

누구나 자신이 좋아하는 노래 하나쯤은
마음에 품고 산다.

누구나 자신이 좋아하는 글 하나 정도는
마음에 품고 산다.

누구나 자신이 좋아하는 한 사람은
마음에 품고 산다.

누구나 소중한 추억 하나쯤은
마음에 품고 산다.

우리 모두 그렇게 살아간다.

감사한 것들

1. 지금 건강한 것

2. 지금 소중한 사람들과
함께 할 수 있다는 것

3. 평범하지만 아무 일 없이
하루가 지나갈 수 있다는 것

4. 나 혼자가 아니란 것

5. 작은 행복을 알게 된 것

여름

태양빛 하늘 아래

푸른 바다가 펼쳐지고

초록색을 띠고 있는 자연 속에서

작은 불어오는 바람에도 미소를 띠는

아이스크림 하나에도 행복을 찾을 줄 아는

뜨거운 여름이지만

우리는 여름을 시원하게 만들고 있었다.

가로등

집에 돌아오는 길 가로등이 보인다.
오늘따라 유난히 더 쓸쓸해 보여.
지금 잠시 나의 곁을 떠나있는 너처럼.

그래도 다행이다.
이렇게 가로등처럼
그곳에서 사람들을 비춰주고 있을 테니.

걱정 마. 나는 잘 지내고 있어.
나도 여기서 소중한 사람들을 비춰주고 있으니까.

근데 다시 만날 때는 나의 마음을 밝혀주라.
이곳에서 나도 가로등이 되어 너를 기다릴게.

다시 빛나줘

사랑하는 사람아.
네가 빛나던 날들을 나는 기억하고 있는데
너는 기억하고 있을지 모르겠다.

그날의 눈부셨던 너의 모습이
예쁜 너의 미소가
아직도 나에게는 생생한데

요즘은 통 지쳐 보이네.
다시 빛나줘. 예전처럼.
너는 별처럼 반짝일 때가 가장 아름다워.

너와 함께라면

평범한 순간도
특별한 순간으로 바뀌니까.

행복한 순간은
더 큰 행복으로 바뀌니까.

어떤 힘든 일도
함께 이겨낼 수 있으니까.

좋은 생각 좋은 마음 좋은 말

좋은 생각과
좋은 마음과
좋은 말이

먼저는 나를 지키고
사랑하는 사람들을 지킨다.

전하지 못한 안부

잘 지내?
그 말 한마디가 그렇게 어렵다.

메시지를 썼다 지웠다 반복하다
결국 마음으로 보낸다.

그대 잘 지내나요

낭만이 있는 사람

평범한 이야기라도
작은 이야기라도
웃을 수 있는 사람이 좋다.

하늘을 보며 예쁘다고 할 줄 아고

꽃에 마음이 가서 다정한 시선으로
바라볼 줄 아는 사람

'이 노래 좋다'라고 말하며
노래를 알려주는 감성이 있는 사람이 좋다.

사소한 것에도 감동을 느끼고
감사함을 느끼는 그런 사람이 좋다.

바라보는 그 시선에
그 사람의 마음이 느껴지니까.

사랑

떨어져 있으면 함께하고 싶고

함께하고 있으면서도 더 함께하고 싶다.

내가 당신을 많이 좋아하나 보다.

함께 나누고 싶은 마음

좋은 일이 생길 때면
제일 먼저 얘기해 주고 싶은 사람이 있다.

좋은 일이 생길 때면
제일 먼저 행복을 나누고 싶은 사람이 있다.

슬픈 일이 생길 때면
제일 먼저 목소리를 듣고 싶은 사람이 있다.

슬픈 일이 생길 때면
제일 먼저 위로를 받고 싶은 사람이 있다.

함께 나누고 싶은 마음이 있다는 것은
내가 그 사람을 좋아하기 때문이다.

물웅덩이

비가 그친 하늘에는
조금씩 푸른 하늘이 보이는데

비가 그친 물웅덩이에도
맑은 하늘이 비쳐 보이는데

물웅덩이에 비친
그대의 미소는 어디 갔을까

너도 힘들었을 텐데도

내가 무너질 때

무너지지 않고

나를 지탱해 준 네가 있다.

분명 너도 똑같이 힘들었을 텐데도

내가 버틴 길은 누군가에게 길이 되고

사랑하는 사람과 함께할 수 있는 길이 된다.

`

내 마음의 빛까지

노을은 매일 조금씩 다른 빛을 낸다.
노란빛, 주황빛, 붉은빛, 분홍빛, 보랏빛을.

오늘 그대와 함께한 노을은
주황빛이었다.

그러나 노을에 비친 그대의 모습은
보랏빛이었다.

오늘은 유난히 특별해 보이는
그대의 빛이었는데

내 마음의 빛까지 그대를 비춰주고 있어서
그런 걸까.

너의 빛나는

오늘 너의 빛나는 순간을
눈과 마음에 담았다.

집으로 돌아갈 때
밤하늘의 색지에 펼쳐서

너의 빛나는 모습을
보고 싶어서.

널 보면은

널 보면은
예전의 나를 보는 것 같은 기분이 들어.
겉으론 보이지 않지만
내 마음속에는 보이는 너의 마음

누군가 알아주지 않을지라도 나는 알 것 같아.
강한 척, 괜찮은 척하는 너의 모습을.
혼자서 다 안고 가려 하는 너의 모습을.

너의 그 지친 마음을 내려놓고
나에게 조금은 기대도 되지 않을까.

서툴지만 마음이 느껴지는 너만의 표현들.
이런 아름다운 마음을 가진
너와 함께할 수 있어 소중해.

누군가는 그 자리에 있었어야 되지 않았을까요

누군가는 그 일을 해야 되지 않았을까요

누군가는 그 말을 해야 되지 않았을까요

너무 아파하지 말아요

감동을 주는 사람

무엇보다 감동을 주는 사람이 좋다.

사소한 것 하나라도 기억해 주고
챙겨주는 그런 사람.

날씨는 비가 와도
눈이 오는 날에도
마음에 비가 내리는 날에도

나에게 햇빛이 되는 그런 사람.

소망

오늘도 이 소망의 길에
한 걸음을 내밀어본다.

누가 알아주지 않아도 괜찮아.
언젠가 나는 해낼 거니까.

꽃구경

할머니를 모시고

할아버지를 모시고

어머니를 모시고

아버지를 모시고

가족들과 아이들과 함께

연인과 함께

친구들과 함께

다양한 사람들이 꽃을 보러 온다.

카메라를 들고 서로를 찍어준다.

서로를 배려하는 모습

서로를 바라보는 따뜻한 모습

함께 들려오는 목소리

함께 들려오는 외국어 소리

언어는 다르지만 그들의 미소에서 느껴지는 언어의 모습

세대와 나이와 국적을 불문하고

봄이 오면

꽃을 보러 모두가 앞으로 나아간다.

그런 봄은 정말 따뜻한 힘이 있다.

자연도 사람도 살게 하는 힘이 있다.

네가 있었으니까

꼭 좋은 날이 아니어도 괜찮았다.

네가 있었으니까.

미소

환하게 웃던

그날의 미소를 잊지 말자.

따뜻한 빛

결국 중요한 건

나의 가치를 알아봐 주는 사람이
내 옆에 있다는 것이었다.

그게 전부였다.

우리를 앞으로 나아가게 하는
우리를 살아가게 하는

따뜻한 빛

2부

함께했던 소중한 기억

너무 아파서
잊고 싶은 기억이 있을지라도

가끔은 기억이 없었으면
좋겠다고 생각한 날도 있었지만

그래도 가슴 한구석에는
너와 함께했던
소중한 기억이 있으니 다행이다.

그 빛나는 기억이 내 마음에 스며들어

마음에 있는 어둠을 몰아내고 있어서.

한 가지 노래

한 가지 노래를 반복해서
듣는 습관이 생겼다.

가장 행복했을 때 들었던 노래.
가장 슬펐을 때 들었던 노래.
사랑하는 사람이 좋아했던 노래.

어쩌면 지금 내 마음은
노래를 들었던 그 시간 속에
살고 싶었는지도 모른다.

마음의 봄

봄이 왔는데도

그대의 마음의 봄은
왜 아직도 오지 않았을까요.

사계절의 봄도 예쁘지만
그대의 마음의 봄이 더 예뻐요.

소중한 건 계절보다
그대의 마음의 봄이에요.

귀를 기울여야 들을 수 있는 소리

귀를 기울여야 들을 수 있었던
그 사람의 작은 마음의 소리도

이제는 한 번에
들을 수 있게 된 건

어느새 그대가 나에게
특별해졌다는 것.

오랫동안 진심으로
대했다는 것.

손을 내밀어 준 그대

정말 도저히 혼자서
일어설 수 없는 시간이 있었다.

어둠 속에 갇혀 있을 때
손을 내밀어 준 그대가 있었다.

다시 시작해 보자고.

힘들 때는 있어도

힘을 잃지 말기를

지칠 때는 있어도

지지는 말기를

함께

함께라는 건

마음을 하나로 모으는 것.

주변의 일상

작은 기억
따뜻한 말 한마디
좋아하는 노래
곁에 있는 사람들

나를 버틸 수 있게 해준 건
주변의 일상이었다.

봄

봄이라서 좋은 걸까

그대가 내 옆에 있어 좋은 걸까

둘 다여서 일까

별

별이 될 거야.
너의 모습을 비춰주는

너의 걸어가는 길에 있어
네가 빛을 잃어갈 때

나의 빛으로 환하게 비춰줄 거야.
네가 다시 일어설 수 있게.

너에게 들려주고 싶어

어릴 적 내 마음을 적시던 그 노래.
그 노래가 기억이 나.

친구와 함께 들었던 노래와 가사들이
아직도 나의 마음속에.

저 바람에 몸을 맡겨 가사를 써 내려가.
나의 리듬으로.

내 기타 내 피아노 베이스 드럼까지
난 나만의 색으로 물들어갈 거야.

저 하늘에 퍼진 내 멜로디
너에게 들려주고 싶어.

가로등과 자전거

보폭을 같이 하며
서로를 쳐다보기도 하고
두 손으로 자전거를 끌며
이야기를 하며 걸어간다.

가로등이 비치는 밤
지금 이 시간은
두 사람밖에 보이지 않는다.

유난히 더 마음이 가는 사람

주위에는 유난히 마음이 더 가고
정이 가는 사람이 있다.

그 사람은 나에게
마음을 많이 주는 사람은 아닌데

그 사람은 나를 많이 생각해 주는 사람은
아닐지도 모르는데

아마 그 사람이 마음이 가고 챙겨주고 싶은 건
어쩌면 예전의 나의 모습이 보여서일까.

나랑 성격이 비슷한 부분이 많고
예전의 아팠던 모습이 닮아서일까.

둘 다여서일까.

행복

소소한 행복이

소중한 행복이 된다.

봄과 봄

전국 각지 각각 예쁜 색깔을 가진 꽃들이
예쁘게 피어난다.

'나 이렇게 피어 있어요.'
마치 나를 봐달라고 경쟁하는 것처럼

각각 자신의 예쁜 색깔을 가진 사람들이
꽃을 보러 간다.

지금 이 순간
봄과 봄이 만났다.

꽃

지지 않는 꽃잎은 없어.
우리도 마찬가지야.

중요한 것은
다시 꽃피울 때까지

비, 바람 어떤 시련이 와도
내 마음이 지지 않으면 돼.

그럼 나는 분명 아름다운 꽃을
피울 수 있을 거야.

너에게 노래 같은 사람이 될래

너에게 노래 같은 사람이 될래.
언제나 마음을 편하게 해주는
그런 사람.

언제나 너의 마음을 울리는 내가 될래.
네가 지칠 때
몇 번이라도 너를 일으켜 세울 수 있는

나는 너에게 노래 같은 사람이 될래.

축하한다

알림 속의 글
사진 속의 모습

누군가의 결혼
누군가의 생일
누군가의 축하 소식

평범하게 축하를 하고 싶지만
이제는 그런 축하를 할 사이가 되지 않아서

예전에는 읽든 안 읽든
답장이 안 와도 메시지를 보냈는데
이제는 그것조차 쉽지 않다.

그래서 이번에도 마음으로 보낸다.
'축하한다.'

노래를 닮아

노래는 사람의 마음을 편하게 하고
그 안의 한 글자 한 글자 가사가
내 마음을 적시듯이

너는 노래를 닮아
나의 마음을 편하게 하나 보다.

너에게서 나오는 그 한마디 한마디
따뜻한 말들이
내 마음을 울리나 보다.

여름과 겨울

여름이 있어
더위를 알고

겨울이 있어
추위를 알고

여름과 겨울이 없었더라면
대부분 좋은 날씨가 이루어졌을 텐데

사계절에
봄과 가을만 있었더라면
우리는 견뎌냄을 알 수 있었을까.

인생

인생이란 사랑하는 사람과
소중한 시간을 함께 걷는 길.

인생에서 내리는 비를 시련이라고 한다면
어떤 시련도 이겨내고
함께 무지개를 보고 싶은 사람이 있는 것.

아침에 떠오르는 태양을
함께 보고 싶은 사람이 있는 것.

지워진 사진

함께했던 사진들을
수십 번, 수백 번, 수천 번을 망설이다 지운다.

환하게 웃고 있던 우리들의 미소
사진을 지우는 게 힘든 일인 걸 알면서도
나중에 후회할 줄 알면서도

그 사진들이 나를 계속 제자리로 되돌아오게 했으니까
나를 앞으로 나아가지 못하게 했으니까

이제는 앞으로 나아가고 싶으니까

작은 것

작은 것 하나에 지칠 때도 있었지만

작은 것 하나에 웃을 수도 있었다.

아름다운 세상

내가 옆에 있는
한 사람의 마음을 지키면

그 사람이
옆에 있는 한 사람을 지키고

또 그 사람이
옆에 있는 한 사람을 지키면

또 그 사람이
옆에 있는 한 사람을 지키고
그러면
모두의 마음을 지킬 수 있다.

이 세상은
아름다운 세상이 될 수 있다.

나부터 옆에 있는

한 사람의 마음을 지키면

응원해요

거리에 분주한 사람들

그 속에서 누군가와
인연이 될 수도 있고

오늘 행복한 일상을 보낸 사람들도
오늘 눈물이 났던 일상을 보낸 사람들도

모두 다 소중하다.

나는 그대들을 모르는 사람이지만
그대들도 나를 모르는 사람이지만

응원해요.
오늘 하루도 각자의 자리에서
이겨줘서 고마워요.

곁에 있는 사람들을 지켜야 할 때

너무 마음이 아프지만
많은 사람들이 나에게서 떠나갔다고

계속 아픔에 갇혀서 주저앉고
앞으로 나아가지 못하고
머물러 있지는 말자.

지금 곁에 있는 사람들도
지켜야 할 때니까.

우리는

마음을 주고

같이 있어주고

서로가 서로를

지켜주고 있었다.

벚꽃

분홍 잎이 누군가를 웃게 한다.

여기저기 들려오는 웃음소리

여기저기 들려오는 추억 소리

벚꽃보다 그대들이 더 예쁜 것을 알까.

미소가 가득한

마음을 전달하기 좋은

함께하기 좋은 계절이 왔다.

정면으로 마주하는 마음

돌아보면
마음을 울리는 건
마음을 움직이는 건
마음에 전해지는 건

대단하고 특별한 게 아니라
정면으로 마주하는
진심으로 마주하는

바로 우리의 마음이었다.

하늘

하늘은 언제나 그 자리에서

아무 대가 없이 우리를 비춰준다.

나도 그런 사람이 되고 싶다.

나의 사랑하는 사람들에게.

꽃집

역 앞에 있는 꽃집에 나도 모르게
발걸음이 멈춰 섰다.

멈춰 서서 기웃기웃거리며
무슨 꽃이 있는지
꽃을 보고 있는 사람들이 있다.

나 자신에게 주는 걸까
누군가에게 선물을 주는 걸까

한참을 생각하다 사람들은 꽃을 고른다.
마음이 잘 전달되었으면 좋겠다.

오랜 시간 동안 고민하며
생각이랑 마음을 담은 꽃이니까

마음 책

그려나가자.
나의 마음의 종이에
아름다운 기억의 그림들을.

써 내려나가자.
한 글자 한 글자씩
예쁜 추억의 일들을.

마음은 책과 같아서
언제든지 꺼내 읽을 수 있으니까.

지워지지 않으니까.
간직하자.
모든 것을.

내가 다 들어줄게

내가 잘하는 게 있어.
너의 이야기를 가만히 들어주는 것

같이 있어주는 것
같이 울고 웃어주는 것

그 시간 나의 마음은 진심이야

오늘은 천천히 이야기해
하고 싶은 이야기 다 해버려
내가 다 들어줄게

봄의 마음

들려오는 카메라 소리들

풍경이 예쁘다며

꽃이 예쁘다며

그대가 예쁘다며

우리가 예쁘다며

사진으로 남기자는 말이 들려온다.

같이 찍는 건 부끄럽다는 그대의 말 한마디
그래도 일 년 중 하나뿐인 계절이라며

함께 사진을 남기고 싶어 하는 그대의 마음이
봄의 마음이다.

단 하나밖에 없는 나의 색깔을 그려나가자

나의 마음이 뜨거워지고
나의 가슴이 설레는 곳으로
나만의 그 길을.

가장 나다워질 때의 길을.
내가 가고 싶은 길을 가자.

단 하나밖에 없는
나의 색깔로 인생을 그려나가자.

난 단 하나밖에 없는
특별한 사람이니까.

행복

행복은 찾아온다.

내 마음이 행복할 때.

2월의 꽃

길을 지나가다
나뭇가지에 시선이 닿는다.

나뭇가지의 절반의 반도 되지 않지만
조금씩 꽃이 피어나고 있었다.

드디어 추운 겨울을 이겨냈다.

아주 조금만 더 이겨주라.

소망

힘내줘서

버텨줘서

이겨줘서

고마워.

언젠가 이 말을 들을 수 있는 날이 온다.

사랑하는 사람과 함께 껴안고

함께 울고 웃을 수 있는

언젠가 그 시간은 분명 온다.

우리는 서로를 비춰주는 별

너의 나의 인연은
마치 밤하늘에 있는
별과 별의 만남 같아서
언제나 서로를 비춰주고 있잖아.

그렇지만 이상하게도
네가 밝은 빛은 낼 때면
그때는 나의 마음의 빛이 적어지곤 했어.

내가 밝은 빛을 내고 있을 때면
너의 마음이 희미해져 가고 있었지.

그렇지만 괜찮아.
우리는 서로를 비춰주는 빛이 되고 있어서
마음이 어둠으로 갈 수가 없어.

봄

봄은 사람들을 꽃으로 데려온다.

꽃을 보고 있는 사람들

사람들을 보고 있는 꽃들

꽃도 사람도 서로 예뻐한다.

나는 오늘도

소망이 있기에

마음이 있기에

네가 있기에

나는 오늘도
다시 일어설 수 있나 보다.

길

모두가 아니라고 해도

모두가 무모하다고 해도

모두가 힘들다고 해도

나는 그 길을 간다.

나의 길을

봄과 그대

눈에 담기 바쁘고
사진에 담기 바쁘고
그대를 담기에 바쁘다.

꽃에 둘러싸여
나도 봄을 담은 마음으로
그대에게 다가가고 있다.

꽃이 지는 게 아쉬워서
좀 더 그대와 시간을 함께 보낸다.
좀 더 그대의 옆에 가까이 기댄다.

웃음이 피어나

너의 예쁜 행동에

마음은 웃음이 피어난다.

분명 걱정에 슬펐는데도

간장 계란밥

우리를 지켜 주었던 국민 요리
간장 계란밥

학교를 다닐 때
'영양을 보충해야 된다며'
'밥은 꼭 먹고 다녀야 된다며'
'그래도 한 숟갈이라도 더 먹고 가야지'라며
부모님의 정을 느낄 수 있는 간장 계란밥

그 간장 계란밥이 어른이 되어도
혼자 사는 많은 사람들에게 힘이 되어주고 있다.

아직은 요리가 서툴지만 다른 요리들도 이것저것 만들어 본다.

'나 잘하고 있는 걸까.'
가끔씩은 집밥이 그리워지는 날이다.

무지개

무지개는 서로 다른 색이
하나가 된 것이다.

우리도 서로 색이 다르다.
각자 아름다운 색을 내고 있다.

그렇지만
함께할 때
더 아름답다.

외로움

이불을 덮으면 더웠다.

그러나 이불을 덮지 않으면 추웠다.

믿어주자

그저 믿어주는 것이지만

그 하나가

또 다른 새로운 길을 열어줄 테니

그때의 나에게

과거의 나로 돌아갈 수 있다면
그때의 나에게 말해주고 싶다.

조금은 약한 모습을 보여줘도 된다고.
조금은 내려놓아도 된다고.
조금은 하고 싶은 것을 해도 된다고.

조금은 자신을 먼저 생각해도 된다고.
조금은 손을 뻗어도 된다고.
조금은 기대도 된다고.

정말 그 말을 해주고 싶다.

우리는 혼자가 아니야

언젠가는 헤어질 때도 있고
다시 만날 때도 있는 거야.

하지만 기억해 줘.
어디에 있든 무엇을 하든
우리는 함께하고 있다는 사실을.

밤하늘의 별들은 흩어지지 않고 하나니까.
별처럼 빛나는 우리는
멀리 떨어져 있어도 혼자가 아니야.

하늘은 하나로 이어져 있으니까.

소중한 사람이 있었기에

나에게 따뜻함을 준

소중한 사람이 있었기에

나는 앞으로 나아갈 수 있었다.

나에게는 소중해

지금까지 함께했던
모든 시간들도
지금 우리가 함께하고 있는
지금 이 순간들도

앞으로 함께 걸어갈
미래의 날들도

너와 함께하고 있는
모든 순간들이

너와 함께할 수 있는
모든 순간들이
무엇과도 바꿀 수 없이
나에게는 소중해.

보고 싶다

고요한 거리.
하늘에는 별들의 소리만 들린다.

밤하늘을 배경 삼아
마음에 있는 추억의 물감으로
그림을 그려 나간다.

보고 싶다.

4월

꽃도 만개
사람들의 모습도 행복 가득

아름다운 색깔이 가득하다.

봄이다.

이번에는 어떤 추억들을
우리에게 가져다줄까.

오랜만이야

우리가 이렇게 만나서 얘기하는 것도 오랜만이다.

그때는 저 밤하늘의 별처럼
늘 함께하고 있었는데
지금은 각자의 자리에서 빛을 내고 있지만

가끔은 그립다.
서로에게 힘이 되어주던 그때가.

그래도 잠시나마 반가웠어.
다시 한번 너희들로 인해 힘을 얻고 간다.

이제 주변에 있는 내 사람들을 비춰주러
다시 일상으로 돌아가야지.

다시 만날 때까지 건강하고
하고 있는 일 지치지 말고.

그대의 편이 되고 싶습니다

그대의 아픈 마음을
덮어주고 싶습니다.

그대의 예쁜 마음을
담아두고 싶습니다.

그대의 지친 마음을
일으키고 싶습니다.

그대의 모든 마음을
지켜주고 싶습니다.

나는 언제나
그대의 편이 되고 싶습니다.

봄의 순간

꽃잎이 거의 다 떨어져 간다.

'올해도 봄은 가는구나.'
생각한 순간

주위를 둘러보니
사람들의 미소가 들어온다.

아니다.
아직도 봄이구나!

노을

그대는 노을 같은 사람
한결같이 아름답고 예쁜
사람들에게 아름다움을 전해주는 사람

오늘은 이렇게 저물어가지만
내일은 또다시 떠오를 수 있다.

항상 변하지 않는
나의 색깔로.

어떤 색깔이라도

하늘은
푸른색
주황색
노란색
분홍색
보라색
매번 색깔이 바뀌지만
하늘은 다 같은 하늘이다.

어두운 색깔도
밝은 색깔도
이런 나도 있고
저런 나도 있지만

어떤 색깔이라도
모두 나 자신이다.

봄

피어 있는 예쁜 꽃이 말해준다

다시 앞으로 나아가고 있는 그대가 말해준다

봄이라고

속마음

마음에 있는 말을 꺼냈다는 건

그만큼 힘들다는 것.

간절하다는 것.

네가 내 마음을 알아줬으면 좋겠다는 것.

행복을 위해서

저마다의 아픔
저마다의 걱정
저마다의 고민

모두의 아픔과
모두의 걱정과
모두의 고민은 다르지만

모두가 살아가는 길은 다르지만
모두 행복을 위해서 앞으로 나아가는 것.
아파하고 웃고
또 아파하고 또 웃고
또다시 아파하고 또다시 웃으면서
그렇게 살아가는 것.

따뜻한 날과
따뜻한 사람이
나에게 찾아오기를 바라면서.

눈물이 날 것 같다면

무심코 들어온 따뜻한 말 한마디에

눈물이 날 것 같다면

어쩌면 그대는

버티고 있었을지도 모른다.

따뜻한 말 한마디

따뜻한 말 한마디는
모두에게 힘이 된다.

말은 건네는 사람도.
말을 받는 사람도.

따뜻한 말 한마디는
모든 것을 덮는다.

걱정해 주는 사람들이 있다

괜찮아?
잘하고 있어?라고
물어봐 주는

나 자신만큼
때로는 나 자신보다
나를 걱정해 주는 사람들이 있다.

바로 지금 우리 곁에.

지워진 사진

함께했던 사진들을
수십 번, 수백 번, 수천 번을 망설이다 지운다.

환하게 웃고 있던 우리들의 미소
사진을 지우는 게 힘든 일인 걸 알면서도
나중에 후회할 줄 알면서도

그 사진들이 나를 계속 제자리로 되돌아오게 했으니까
나를 앞으로 나아가지 못하게 했으니까

이제는 앞으로 나아가고 싶으니까

돌아가고 싶은 순간이 있다는 건

돌아가고 싶은
순간이 있다는 건

지금 내가 힘이 들어서
그런 생각이 드는 것도 맞지만

돌아가고 싶은
그런 순간이 있다는 건

그만큼 내가 잘 살아왔다는 말이 아닐까요.

여름

그늘에 몸을 피해봐도
시원한 아이스크림을 사 먹어봐도
가시지 않는 이 무더운 여름의 날씨

해님이 나를 따라다니며 붙잡고 있었네.
더운 것은 작년도 더웠고
올해도 덥고
어제도 더웠고
오늘도 더운 거야.

그래도 우린 각자의 자리에서
각자의 방식으로
더위를 이기고 있었어.

우리의 인생도 매년 찾아오는 여름처럼
날 지치게 하는 더위가 붙잡고 있을지라도
잘 이겨낼 거야.

그러니까 이번에도 이 더위를 잘 버텨내자.

늘 그래왔던 것처럼.

3층의 풍경

3층에서 바라본 거리의 풍경은
눈에 잘 들어온다.

시간이 흐르고 계단을 내려가
거리의 풍경을 채우는 나는

또 누군가에게는
3층에서 바라본 아름다운 풍경이겠지

분명 멀리서 바라보는 풍경도 예쁘지만
그래도 나는 그 일상에 스며들어

누군가와 함께
예쁜 풍경을 만들어나가고 싶다.

3부

하얀색 벚꽃

바라보고 있으면
마음이 편안해지는 깨끗한 마음이 들게 하는
하얀색 벚꽃

하얀색과 푸른 하늘의 어울림이 너무 아름다워
잠시 멍하니 바라본다.

분홍색 벚꽃에 지지 않는 하얀색 색깔이
사람들을 자꾸 끌어당긴다.

마치 눈이 날리는 것처럼 꽃잎이
떨어지는 모습은
슬프면서도 아름답다.

하얀색 꽃잎이
사람들의 마음에 스며들어
예쁜 마음을 그리게 한다.

여름 소나기

내 마음 슬픈 줄도 모르고
하늘에서는 소나기 한바탕 쏟아진다.
아닌가. 슬픈 눈물을 공감해 주는 걸까.

시원하게 쏟아지는 소나기야.
마음의 눈물도 씻겨내려가게 해주라.

작은 바람이 있다면
햇빛이 뜰 수 있기를 바랄게.

따뜻한 말 따뜻한 마음

언젠가 네가 해준 따뜻한 말이
시간을 넘어서

지금의 지쳐있는 나의 마음에 들어와
나를 울리곤 했다.

따뜻한 말은
따뜻한 마음은
전해진다.

시공간을 초월해서.

이 풍경을 바라볼 수 있을까

흘러가는 풍경이 아쉬워

흘러가는 시간이 아쉬워

잠시 멈춰 서서 한동안 바라본다.

다시 이곳에서
이 풍경을 바라볼 수 있을까

함께라서 그대라서 소중해

지금 너와 있을 수 있어서

함께 웃을 수 있어서

서로의 눈물을 닦아줄 수 있어서

그게 지금 내 곁에 있는 너라서

내 마음의 바다에도

바다에 비친 하늘은
왜 이렇게 아름다운 걸까

지금의 내 마음은
그렇지 않는데

바다에 비친
아름다운 하늘처럼

물결에 흔들리지만
다시 제자리를 찾는 바다처럼

내 마음의 바다에도
그렇게 되었으면 좋겠다.

봄이 왔나 봅니다

따뜻한 바람이 불어온 걸 보니
봄이 왔나 봅니다.

피어있는 예쁜 꽃을 보니
봄이 왔나 봅니다.

지쳐있던 사람들의 모습은 없어지고
미소가 거리에 가득한 걸 보니
봄이 왔나 봅니다.

지쳐있던 나의 마음도
조금씩 힘이 나는 걸 보니
봄이 왔나 봅니다.

내 앞에 있는
그대의 눈이 빛나는 걸 보니
봄이 왔나 봅니다.

모두가 앞으로 나아가는

미소가 가득한

봄이 왔나 봅니다.

아픔을 견뎌내는 방법을 우리는 이미 알고 있다

아픔이 찾아올 때면
운동을 좋아하는 사람은
운동을 하고
노래 부르는 것을 좋아하는
사람은 노래를 부르고
노래 듣는 것을 좋아하는
사람은 노래를 듣고

드라마를 좋아하는 사람들은
드라마를 보고
영화를 좋아하는 사람들은
영화를 보고
혼자서 걷는 것을 좋아하는
사람들은 혼자서 걷고

사람들과 이야기를 하는 것을
좋아하는 사람들은

사람들과 이야기를 하고
여행을 좋아하는 사람들은
여행을 가고

친구들을 만나 스트레스를 푸는 사람들은
친구들과 만나면서 시간을 보낸다.

그렇게 각자의 아픔은 다르지만
모두 이미 알고 있다.

내가 무엇을 할 때
아픈 마음을 회복할 수 있는지를.

우리는 각자의 자리에서
각자의 방식으로
각자의 아픔을 이미 없애고 있다.
아픔을 잘 견뎌내고 있고

다행이다.

아픔을 막을 순 없지만

누군가에게 받은 아픔을 이겨낼 수 있는

나만의 방법을 알고 있기 때문에

분명 우리는 앞으로도 괜찮을 것이다.

어떤 아픔이 온다고 해도.

벚꽃

세상은 지금
분홍빛에 물든다.

근데 나는 지금
그대의 사랑에 물들고 있다.

가장 중요한 것

살아가면서

어디에 있든

무엇을 하든

그것은 그렇게 중요하지 않다.

지금 내가 누구와 함께 있는지

지금 내가 누구와 함께 걷고 있는지

그것이 가장 중요하고 소중하다.

그리움

보고 싶다

아픈 시간을 되돌려서라도

함께하고 싶다

변해버린 마음을 되돌려서라도

이해

이해되지 않았던 상황들도

이해되지 않았던 사람들도

시간이 지나면 조금씩 이해가 되기도 한다.

'그렇구나. 그때 힘들었겠다.' 생각한다.

그들도 우리랑 같다.

조금이나마 이해해 주기를 바랐을 것이다.

네가 나를 알아주니까

다른 누가 알아주지 않아도 괜찮다.

네가 나를 알아주니까.

옆에 있어주고 싶었다

눈물이 났다.

너의 마음이 와닿아서.

무슨 말을 하기보다는

그저 옆에 있어주고 싶었다.

사랑하는 사람과 함께할 수 있는 이유

지금 우리가 사랑하는 사람과
함께할 수 있는 이유는

각자의 자리에서
힘들고 지칠 때에도
포기하고 싶은 것들에도
묵묵히 버티고
다가오는 어떤 어려움에도
언제나 이겨내주었기 때문에

지금 이 순간 나도
사랑하는 사람들도

하루하루의 있어지는
빛나는 날들에 같이 있을 수 있다.

밤과 별과 나

지지 않는 밤

지지 않는 별

지지 않는 나

그대와 봄

여름을 지나

가을을 지나

겨울을 지나

지금 이 순간

그대와 봄이 있다.

나는 너를 지키고 싶으니까

챙겨주고 싶은 사람이 있다.
마음을 지켜주고 싶은 사람이 있다.

웃고 있을 때에도.
울고 있을 때에도.

있잖아.
힘든 시간이 찾아와도 이겨낼 수 있는 힘은
너와 함께하고 있을 때 나타나.

나는 너를 지키고 싶으니까.

그늘

신호등을 기다리다
가만히 서서 하늘을 올려다봤다.

걸어갈 때는 잘 몰랐지만
자세히 바라보고 있으니
구름이 조금씩 움직이는 게 보인다.

누군가의 그늘이 되어주러 간다.

나도 오늘 하루 움직인다.
너의 그늘이 되어주러.

감사한 일

나를 있는 그대로 바라봐 주는
사람이 있다는 게

나를 생각해 주고 마음을 써주는
사람이 있다는 게

일상을 함께할 수 있는
사람이 있다는 게

얼마나 소중하고 감사한 일인지

이해의 눈물

마음의 눈으로 누군가를 본다면
아마 보이게 될 거예요.
그 사람의 마음이

비록 전부를 느낄 순 없지만
내가 그 사람이 될 순 없지만

나의 눈에서 흘러나오는
눈물이 말해주고 있어요.

적어도 그냥 흘리는 눈물은 아닌걸요.

사랑인가 보다

매일 보는 같은 하늘이
오늘따라 왜 더 예뻐 보이는지

평소에는 안 그랬는데
주변에 있는 것들이
오늘따라 왜 더 마음이 가는지

사소한 것에도
웃게 되고

평범했던 일상이
특별하게 바뀐다.

사랑인가 보다.

하늘과 마음

하늘과 마음은 닮았다.

비가 내리고 바람이 불고
눈이 내리는 날도 있지만

햇빛이 쬐는 날이
더 많다는 것을.

다행이다.
따뜻한 날이 더 많을 테니.

네가 있기에

평범한 하루지만
특별한 하루가 되고

평범한 시간이지만
특별한 시간이 되고

평범한 인생이지만
특별한 인생이 된다.

네가 있기에.

네가 너무 보고 싶었나 봐

오늘 하루 마음이 지쳐있었는데
너와 시간을 보내고 나니
어느새 마음이 회복되었어.

역시 나의 쉴 곳은 네가 있는 곳이었어.
나의 마음을 편하게 하는 너잖아.

어쩌면 나 오늘 네가 너무 보고 싶었나 봐.
나의 이야기를 진심으로 들어주는
너랑 있는 이 시간을 나는 기다렸나 봐

그날 내게 손 내밀어 준 네가 있었다는 것을

그때는 왜 더 마음을 열고
앞으로 나아가지 못했을까.

다시는 돌아갈 수 없기에
후회로 남은 날.

그날 내게 손 내밀어 준 네가 있었다는 것을
이제서야 고마움을 느껴.

'고마워.'

우리가 된다

물감이 모여 그림이 되고

가사가 모여 노래가 되고

구절이 모여 시가 되고

글이 모여 책이 되는 것처럼

너와 나의 추억이 모여 우리가 된다.

너를 생각하는 간절한 마음

너를 움직이게 하는 희망의 말
너를 일어서게 하는 추억의 말
너를 달릴 수 있게 하는 소망의 말
너의 마음을 움직일 수 있는 사랑의 말
나는 알고 있었다.
너를 진심으로 생각하는 말을
너를 다시 예전 모습으로
되돌아오게 하는 말까지

중요한 것은
너를 생각하는 간절한 마음이 필요한 것이었다.

사랑

그대가 웃는다.

그 모습을 보는 나도 웃고 있다

겨울

따뜻하게 걸어주는 사람들이 있어

마음만큼은 차가움에 지지 않고 있다.

우리의 계절은 같아질 거야

분명 어제의 너의 예쁜 모습에
나는 봄인 줄 알았는데

오늘 너의 마음은 겨울이 되어 있었어.
너무 차가워서 다가올 수 없을 만큼.

그렇지만 괜찮아.
네가 준 사랑에 나의 마음은 지금 봄이니까.
내 마음의 햇살이
너의 얼어붙은 마음을 녹여
다시 봄이 될 테니까.

너의 마음은
우리의 계절은
같아질 거야.

3월의 봄

과거는 이제 놓아주자

새로운 봄이 왔잖아

둘 다여서일까

함께한 시간이 많아서 정이 가는 걸까.

네가 좋아서 정이 가는 걸까.

둘 다여서일까

예쁜 추억

너와 함께했던

그 시간

그 자리

그곳에는

우리만의 예쁜 추억이 펼쳐져 있다.

시간이 흐르고 계절이 바뀌어도

우리의 미소는 여전히 남겨져 있다.

그대는 노래를 닮았다

음악은 정말 마법 같다.
자신이 좋아하는 노래를 듣다 보면
하루가 정말 지쳐있고 힘들었던 날에도
신기하게도 어느새 마음이 편안해지는 그런 힘이 있다.

마치 나의 소중한 사람과
얘기하고 있는 듯한 그런 느낌.

나의 곁에는 그런 나를 편안하게 해주는 노래를 닮은 소중한 사람
이 있다.

그대만이 가지고 있는 그 목소리가 멜로디 같고 그 입에서 나오는
따뜻한 하나하나의 말들이 노래의 가사처럼 내 마음을 적신다.

그런 그대는 노래를 닮았다.
언젠가부터 내 마음을 울리고 있었다.

인생

어린아이 같은 순수한 마음으로
언제나 변하지 않는 마음으로
이 소망의 길을 걷고 싶다.
너와 함께

너와 함께

시간이 흘러도 변하지 않는 건
사진 속의 우리들
함께여서 더 소중하고 행복했던 시간들

이제는 그때로 돌아갈 수 없지만
사진 속의 나는 환한 미소로 웃고 있었어.

지금 내 옆에 있는 너와 함께

마음아 이겨주라

마음이 무너진다.

이러면 안 되는데

자꾸 지쳐만 간다.

나도 모르게

걷잡을 수 없이 넘어져만 가네.

부탁이야.

마음아 제발 이겨주라

내 마음을 기대고 싶은가 보다

평소의 나는 무뚝뚝한 모습인데
너에게는 나도 모르게
어린아이의 마음이 되는 걸까
순수한 어린 시절의 모습으로 돌아가는 걸까
너에게만큼은 내 마음을 기대고 싶은가 보다.

선생님과 아이들

저녁 반찬을 사고 집으로 돌아오는 길
유치원 버스 안의 기사님과 선생님이
아이들에게 손을 흔들며 미소를 반겨준다.

아이들도 버스에 타있는
기사님과 선생님을 향해
해맑게 웃는 모습을 보여준다.

그런 와중에도
선생님은 아이들의 안전을 위해
보도 밑으로 내려가지 않게
아이의 이름을 불러주며 말하는 모습이
아이를 바라보는 시선이 다정하고 따뜻하다.

곧 신호가 바뀌고 아이들을 향해
'내일 만나자.'라는 선생님의 그 말.

이유 없이 좋다.

마음의 계절

서로의 마음이 닿는다는 건

마음의 계절이 같다는 것

밤벚꽃

하얀색이 밤의 색지에 펼쳐진다.

별들과 꽃들과 나와 하나 되는 이 밤

밤은 고요하지만

사람들은 고요하면서도 고요하지 않다.

조용한 듯 조용하지 않은

사람들의 미소가 흐른다.

밤과 벚꽃과 별들과 사람들의 예쁜 모습

이 예쁜 시간을 마음속에 담아본다.

마음의 전화

힘들다는 말 한마디를 했을 뿐인데

오늘 전화를 해준다던 그대
만나서 함께 놀자고 하던 그대
그 마음이 정말 고맙다.

직접 전화를 하지 않아도
직접 만나지 않아도

마음의 전화를 받은 것만 같아서

봄

봄이 왔다고 전해주네요.

거리에 작게 피어있는

꽃을 하나둘씩

사진을 찍는 사람들을 보니

꽃과 인생

단 하루라도 좋으니

예쁜 그 봄의 순간을 보기 위해

꽃도 나도 달려왔나 보다.

눈물도 아픔도 이겨가면서

봄의 미소

포기하고 싶었는데

여전히 꽃이 미소를 보낸다.

너무 힘들고 지쳐서 도저히 일어설 수 없을 것 같던 날들도

하루하루 버티다 보니 어느새 이겨내고 있었다.

그러니 너무 걱정하지 마라

지금 이 순간도 곧 지나갈 테니.

바다

'바다가 가까워서 좋겠다.'라고 그 말을 많이 들었다.

'그런가. 집에서 가까운 편이긴 하지만 그래도 조금 시간이 걸리고 많이 갔으니까. 잘 모르겠다.'라고 나는 대답했다.

이제는 바다가 멀어졌다.
그래도 1시간 50분의 시간을 내서 가끔 바다를 보러 간다.

이제는 알 것 같다.
바다의 소중함을
나를 위로해 준 바다를

그래도 여전히 혼자 보는 바다보다는
함께 보는 바다가 좋다.

밤벚꽃

가로등 아래에
환하게 펼쳐져 있는 밤벚꽃 나무 하나
나도 모르게 사진을 찍게 한다.

오늘 집으로 돌아가는 발걸음이
그렇게 외롭지는 않다.

지친 하루지만
많은 꽃을 보지 않아도
작은 봄이 나를 위로해 준다.

봄과 인생

피어 있지 않는 꽃이라도

아직 조금 피어있는 꽃이라도

이제는 활짝 피어있는지 확인하기 위해

사람들의 발걸음은 꽃이 있는 곳으로 향한다.

혹시나 피었을까 생각하면서

작은 바람, 작은 기대를 가지고

걸어가는 사람들의 모습들이

마치 우리의 인생의 모습과 닮아 있다.

오늘은 내가 조금밖에 꽃이 피지 않았더라도

어제보다는 오늘이 더 피어있고

오늘보다는 내일이 더 피어있고

내일의 내일, 그다음 날은 활짝 핀 자신의 모습을 그려나간다.

봄

네가 오면

언제나 나의 계절은

봄이 된다

네가 오면 언제나 나의 계절은 봄이 된다

발 행 | 2024년 05월 24일

저 자 | 태로리

펴낸이 | 한건희

펴낸곳 | 주식회사 부크크

출판사등록 | 2014.07.15.(제2014-16호)

주 소 | 서울특별시 금천구 가산디지털1로 119 SK트윈타워 A동 305호

전 화 | 1670-8316

이메일 | info@bookk.co.kr

ISBN | 979-11-410-8657-2

www.bookk.co.kr